\ better / \ better /

星星のベラベラ ENGLISH BOOK

SNS・オンライン
一発で伝わる!

星星・著

飛鳥新社

1

Introduction

Who is Seisei?

英語を教えてくれるパンダの「星星」

困った人は放っておけないお人好しの星星。
ゆるっと楽しく英語を教えてくれるよ。

Hi,
I'm Seisei.

**僕と一緒に楽しく
ベラベラになろう!**

街で外国人に声を
かけられたとき話したいのに
とっさに言葉が出て
こないことあるよね。
僕は世界中の人と話すのが
好きなんだ。
みんなにも会話を楽しんで
ほしいからすぐに使える
フレーズを教えるよ。
苦手意識をなくしてね!

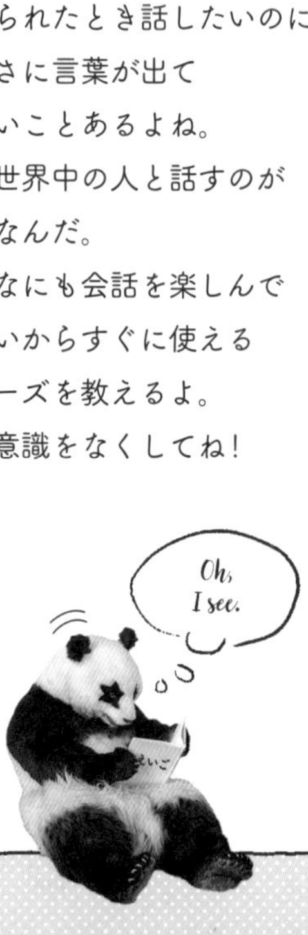

Oh,
I see.

I'm good at a dance.

英語力は
ピカイチ★
星星です
170cm

Profile

Name: 星星

Birthday: 7月7日

Personality マイペース、ちょい悪、お人好し

Special skills: 語学（英語・中国語・日本語）、ダンス

My favorite: ドーナツ、丸いもの

I like donuts.

Introduction 2

Workplace Visit

星星の仕事現場に密着!!

朝の情報番組「ZIP!」で英語コーナーを担当。
収録現場でのようすをお届け！

12月某日 @都内スタジオ

レイアと撮影の段取りを確認中。

カッコよく
決めてます。

スタッフさんとも
和気あいあい。

書道にも
挑戦!
休憩中
撮影はビシッと決める。

レイアとはとっても仲良し♪
ラクラク移動。
外から帰ったら足裏はキレイに。

12月某日
@日本テレビ ZIP!出演後

朝から働いてお腹ペコペコ。
キャスターになりきり。
どうお考えですか?

How to use?

本の使い方を紹介するね

普段の生活で使える今ドキの表現がいっぱい。
星星とレイアたちがわかりやすく教えます。

今日から使えるフレーズを教えるよ

街であいさつをするときや道案内をしたいときなど実践的ですぐに使えるフレーズを集めたよ。10～20代の若い人の間で使われるカジュアルな表現も紹介するね。SNSで外国人と交流したいときにも役立てて。

It beats me.

Sup!

I'm full.

1

友だちとのメールや SNS投稿に使える 略語がわかる

英語を使うことに慣れるために、まずはInstagramなどSNSへの投稿や、友だちとのメールのやり取りで使ってみよう。「やるね」と思わせる表現を集めたよ。

Have fun!

3

声に出して 何度も繰り返すことが 覚えるコツ

頭の中で繰り返すだけではダメ。声に出すことが大切。友だちと会話をしてみるのもいいね。動画もあるので、耳で聞いて声に出して話そう！

2

一語だけなのに 気持ちが伝わる! あいさつができる! できる風フレーズがいっぱい

文章で伝えるのはハードルが高いけれど、あいさつなどひと言でも伝えられるフレーズからはじめてみよう。知っていると便利な言いまわしばかりだよ。

Yummy!

Contents

better better
English
Book

Lesson 3

Lesson 4

Lesson 5

本書の使い方

覚えたら ✓ をつけよう

Lesson 1 . 2 . 3 . 4 . 5 / Chapter 2 天気・季節のこと
覚えてCHECK!
「快晴」
clear sky
クリア スカイ
フレーズ解説
直訳すると透き通った空。雲ひとつなく澄みわたった空のことをさす。晴れは「sunny」だよ。天気の話ができると会話のきっかけにもなるから覚えておこう。
こんなシーンに
How to use?
Clear sky,today.
今日は快晴です。
抜けるような青空の日に使ってみよう。英字新聞などで天気予報を見るときにも役立つよ。
関連ワード
ほかの天気用語も覚えよう。
くもり | cloudy
雨 | rainy
雷 | thunder
動画で復習!
060

日本語・英語・読み方がひと目でわかる。ネイティブっぽく発音できるカタカナ表記だからすぐに話せるよ。

フレーズについて説明。使い方についてもふれているよ。

使うシーンを星星とレイアたちが教えてくれる。例文もチェックして。

メインフレーズに関連した単語を紹介。一緒に覚えておくと役立つ。

QRコードを読み込んで、動画で確認。耳で聞いて発音の精度をあげよう。

Lesson 1

こなれフレーズでベラベラ

さりげなく言えるとカッコいいあいさつや
感情表現を集めたよ。

Are you ready?

覚えてCHECK! ☑

「できた〜!」

Done !

ダァン

フレーズ
解説

ひとつの作業をおえたときは、「する」という「do」の過去完了形を使う。
「〜しおえた」「完了した」「済んだ」ことをひと言であらわせるよ。

こんなシーンに　How to use?

Done!
できた〜!

料理や宿題、仕事、パズル、トレーニングなど、「やっとおわった〜」というニュアンスで使おう。

動画で
復習!

覚えてCHECK! ☑

「私も!」

Ditto!

ディトゥ

フレーズ
解説

書類などで同上と示す「〃」の記号を「ditto」というこ とから、「私も同じ」というときに話し言葉でも使うようになったよ。
カジュアルな表現なので親しい人に使ってね。

こんなシーンに

How to use?

Ditto!
私も!
I'm starving.
おなかペコペコだよ。

相手の発言に対して同感、賛同するときに。「Me, too.」よりも簡単に「同じだよ!」と伝えられる。

動画で
復習!

覚えてCHECK!

「やあ!」

Sup !

サップ

フレーズ
解説

若者が使う「What's up?（調子はどう?）」をさらに短くした軽いあいさつ。
最後の3文字「Sup」だけを読んで、親しい人に「やあ」「元気?」と声をかけるんだ。

こんなシーンに

How to use?

Sup!
やあ!

学生の間で使われる、くだけたあいさつ。学校や街で会ったときに気軽に声をかけてみよう。

動画で復習!

覚えてCHECK!

「やったー!」

Hooray !

フゥレーイ

フレーズ
解説

「万歳」という意味があり、試合に勝ったときなど、とてもうれしい気持ちを表現。
日本で応援するときに使う「フレーフレー」は「Hooray」がもとになっているんだよ。

こんなシーンに

How to use?

Hooray!
やったー!

欲しかったものが手に入ったときや、プレゼントをもらったときに思いっきり喜びを表現しよう。

動画で
復習!

覚えてCHECK! ☑

「おめでとう!」

Congrats !

コングラッツ

フレーズ
解説

祝福の気持ちを伝える「Congratulations!」を略した表現。かしこまった言い方ではなく、気軽に「おめでとう!」と伝えたいときには省略形を使うとこなれ感が出るよ。

こんなシーンに

How to use?

Congrats!
おめでとう!

友人の誕生日や試験に合格したとき、入学・卒業のときに。ただし、年上の人には使わないこと。

動画で復習!

覚えてCHECK! ☑

「絶対に!」

Absolutely !

アブソルートゥリー

フレーズ
解説

何か提案されたときやお願いごとに対して
「100%絶対!」という強い気持ちを
あらわすときに使いたいフレーズ。
「もちろん」「大賛成」という意味でも使って。

こんなシーンに

How to use?

Let's go to the concert together.
一緒にコンサートに行こう。
Absolutely!
絶対に!

遊びやデートに誘われて「OK」
と返事するよりも「絶対に行くよ」
と強調したいときに。

動画で
復習!

覚えてCHECK! ☑

「おいしい!」

Yummy !

ヤミー

フレーズ
解説

日本でもSNSを中心に浸透している「Yummy」。
「おいしい」には色々な表現があって、
「Yummy」は若者や子どもが使うことが多い。
高級レストランで使うのはやめよう。

こんなシーンに

How to use?

Yummy!
おいしい!

友だちと食事をしたときに。SNSに料理写真を投稿するときのハッシュタグとしても。

関連ワード

「おいしい」を使い分けよう

とてもおいしい | **delicious**

風味がいい | **tasty**

動画で
復習!

覚えてCHECK!

「マズッ!」

Yuck !

ヤック

フレーズ
解説

おいしくないものを食べて「マズイ」「ゲ～」と不快感をあらわす感嘆詞だよ。

こんなシーンに　How to use?

Yuck!
マズッ!

口に入れた瞬間マズイと感じたときにひと言。眉間にしわを寄せて言うとリアル。

動画で復習!

覚えてCHECK!

「おえっ!」

Eww !

イウー

フレーズ
解説

見た目が気持ち悪いもの、生理的に苦手なものに対して吐き気をあらわす言葉。

こんなシーンに　How to use?

Eww!
おえっ!

マズイものを食べて気持ち悪いと感じたときに。嫌いな虫を発見したときにも。

動画で復習!

覚えてCHECK!

「あ、しまった!」

Oops !

ウップス

フレーズ
解説

日本人がちょっとしたミスをしたときに
「あっ」と声を出してしまうのと同じで、
とっさに出てくるフレーズ。
日常生活で使える便利な表現だよ。

こんなシーン に　How to use?

Oops!
あ、しまった!
Get Your Special COUPON BOOK!

人にぶつかったり、水をうっかりこぼしてしまったときに。大きなミスをしたときには使えないので注意。

動画で
復習!

覚えてCHECK!

「痛っ!」

Ouch !

アウチ

フレーズ
解説

何かにぶつかったり、手をはさんだりして
痛みを感じたときとっさに使う表現。
痛みだけでなく、熱いものをさわって火傷しそうなときにも「Ouch!」とさけんでみよう。

こんなシーンに How to use?

Ouch!
痛っ!

テーブルの角に足をぶつけて反射的に発して。熱いものを飲んだときにも使ってみて。

動画で復習!

覚えてCHECK! ☑

「極楽～!」

Heavenly !

ヘブンリー

フレーズ解説

天国のように気持ちいい、最高な気分をあらわす。美しい景色を見たときにも使って。

こんなシーンに　How to use?

Heavenly!
極楽～!

お風呂にゆっくり入って「あ～極楽」とつい口に出してしまう感覚で言ってみよう。

動画で復習!

覚えてCHECK! ☑

「最高!」

Awesome !

オーサム

フレーズ解説

すばらしい、最高という褒め言葉。「Nice!」や「Good!」よりも感情がこもった表現になるよ。

こんなシーンに　How to use?

kimono館
Awesome!
最高!

ステキ、カッコいい、いいね!と相手を褒めたいときに。日常の軽い会話で使って。

動画で復習!

覚えてCHECK!

「すばらしい!」

Amazing!

アメイジング

フレーズ
解説

並外れた、すごいという意味がある形容詞。感動的なシチュエーションに遭遇したときや美しい景色を見たときに「驚くほどすばらしい」という意味をこめて言ってみよう。

こんなシーンに

How to use?

Amazing!
すばらしい!

うっとりするようなイルミネーションや夜景を見たときに。びっくりしたときにも使えるよ。

動画で
復習!

覚えてCHECK!

「何て言いました?」

Sorry ?

ソーリィ

フレーズ
解説

謝るときに使うけれど、語尾を上げると「もう一度言って」という意味になるよ。「Pardon?」はていねいな言い方なので、軽く聞き返すときは「Sorry?」を使おう。

こんなシーンに

How to use?

Sorry?
何て言いました?

はっきりと聞こえなかったときや、聞き逃したときに。語尾をしっかり上げることを忘れないで。

動画で
復習!

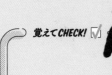

覚えてCHECK!

「じゃーん!」

Ta-da !

タダー

フレーズ解説

日本語で何かを披露するときに「じゃーん!」と言うように、効果音として使う表現。

こんなシーンに How to use?

Ta-da!
じゃーん!

プレゼントを渡すときや相手を驚かせたいときに。恥ずかしがらずに大きな声で言おう。

動画で復習!

覚えてCHECK!

「わっ!」

Boo !

ブー

フレーズ解説

驚かせるときは、勢いをつけて言うのがコツ。低い声で言うと不満をあらわすので注意!

こんなシーンに How to use?

Boo!
わっ!

ハロウィンパーティで仮装をしたときによく使うよ。お化けになりきっておどかしてみて。

動画で復習!

覚えてCHECK!

「なるほど」

I see.

アイ シー

フレーズ
解説

何かを教えてもらったときに答えが見える（see）ということから、「なるほど」「そうなんだ」という意味に。カジュアルな言い方だから、仕事のときには「I understand.」と答えよう。

こんなシーンに

How to use?

It's mochi.
これは、餅だよ。
I see.
なるほど。

自分が知らなかったことを教えてもらったときに、わかったよ、理解したよという意味で使おう。

動画で
復習!

覚えてCHECK!

「ほらね」

You see ?

ユー　シー

フレーズ
解説

直訳すると「あなたを見る」。そこから、「見た通り」「ほらね、言ったじゃん」という意味で使うんだ。語尾を上げて「ね?」と聞き返すように言うのがポイント。

こんなシーンに　How to use?

Watch out!
気をつけて!
You see?
ほらね。

注意をしたのに、予想通りつまずいてしまったら。「やっぱり……」という気持ちを表現。

動画で復習!

覚えてCHECK!

「悪いね」

My bad.

マイ　バッド

フレーズ
解説

友だちや家族など親しい人に「ごめんね」と謝るときに使う表現。軽いミスをしたときに使うフレーズなので、心から謝りたいときは「I'm so sorry.」を使って。

こんなシーンに

How to use?

My bad.
悪いね。

人とぶつかって、自分が悪かったと謝るときに。くだけた表現なので、深刻な状況では使わないで。

動画で復習!

覚えてCHECK!

「ありえない!」

No way!

ノー　ウェイ

フレーズ
解説

信じられないことが起こったときに
「まさか、うそでしょ!?」という気持ちを表現。
ショックなできごとや、感動したときなど
さまざまな場面で使える便利なフレーズ。

こんなシーンに

How to use?

I won!
当たったよ!
No way!
ありえない!

くじが当たって「信じられな〜い」「うれしい!」という気持ちを伝えたいときに。

動画で
復習!

覚えてCHECK!

「ツイてるね!」

Lucky you !

ラッキー　ユー

フレーズ
解説

運がいい、ラッキーなことがあった人に使えるフレーズ。「いいなぁ」とうらやましい気持ちも含まれる。人さし指で相手をさすジェスチャーを加えると、カッコいいよ。

こんなシーンに

How to use?

Lucky you!
ツイてるね!

おみくじで大吉が出た、宝くじや懸賞に当たったなど、幸運が訪れた人に声をかけよう。

動画で復習!

覚えてCHECK!

楽しんで!

Have fun !

ハブ　ファン

フレーズ
解説

これからどこかに遊びに行く人に声をかけるフレーズ。道を教えたあとにつけ加えると、「楽しんで」だけでなく、「行ってらっしゃい」という意味もこめられてこなれ感が出せる。

こんなシーンに

How to use?

Have fun!
楽しんで!
すみだ水族館
SUMIDA AQUARIUM
BY ORIX
Thank you. Bye.
ありがとう!　じゃあね。

道案内したあとに、「楽しんできてね」と送り出したいときに。明るく、元気な声で言ってみよう。

動画で
復習!

覚えてCHECK!

「気をつけて!」

Watch out !

ウォッチ　アウト

フレーズ
解説

人に対して「よく見て!」と注意を促したいときに使うフレーズ。
何に気をつけるか言いたいときは「Watch out for cars!」とforをつけて。

こんなシーンに

How to use?

おおたき
Watch out!
気をつけて!

目の前に危険が迫っているときに、「危ない、気をつけて」と大きな声で教えてあげよう。

動画で
復習!

覚えてCHECK!

「まあまあ」

so so

ソー　ソー

フレーズ
解説

よくも悪くもなく、あまり満足していない否定的なニュアンスが含まれる表現。

こんなシーンに　How to use?

So so.
まあまあ。

手をひらひらと波打つようにさせて言うとネイティブっぽいよ。

動画で復習!

覚えてCHECK!

「だいたい」

Pretty much.

プリティ　マッチ

フレーズ
解説

「pretty」は可愛い以外にまあまあという意味があり、「much」をつけると「ほとんど」になる。

こんなシーンに　How to use?

Are you getting used to school ?
学校に慣れた?
Pretty much.
だいたいね。

100%ではないけれど、ほぼ「Yes.」と答えたいときに使うことが多いよ。

動画で復習!

覚えてCHECK! ☑

「参加したい!」

I'm in !

アイム　イン

フレーズ
解説

グループの集まりなど遊びに誘われたとき、私もその中に入りたい、仲間になりたいという意味で使うフレーズ。
Yesよりも楽しみ！という気持ちが伝わるよ。

こんなシーンに

How to use?

Do you wanna come?
こない?
I'm in!
行きたい♪

ホームパーティやキャンプなどに誘われたとき、参加したい！　行く行く～という気持ちを伝える。

動画で
復習!

覚えてCHECK!

「超楽しい!」

What a blast !

ワットゥ　ア　ブラスト

フレーズ
解説

「a blast」は爆発、突風、爆音の意味以外に、楽しい時間というニュアンスで使われる。強調表現の「What」をつけることで「めちゃくちゃ楽しい」となるよ。

こんなシーンに　How to use?

What a blast!
超楽しい!

遊園地やパーティで楽しい気持ちが爆発しそうなときに。仲間と楽しく騒いだときに使おう。

動画で復習!

覚えてCHECK! ☑

「どういうこと!?」

What on earth ?!

ワットゥ　オン　アース

フレーズ
解説

「on earth」を直訳すると「地上」ですが、地球上でということから強調する意味も。一体全体どういうこと？というときに使うよ。「What」を「How」や「Why」に代えてもOK。

こんなシーンに

How to use?

What on earth?!
どういうこと!?

状況が把握できず、何なの？　どういうこと？　と驚いたときに使ってみよう。

動画で
復習!

覚えてCHECK!

「幸運を祈ってる!」

Fingers crossed !

フィンガーズ　クロストゥ

フレーズ
解説

人さし指と中指を交差すると十字架に見え、
幸運や成功を祈っているという意味に。
このジェスチャーだけでも伝わるから、
セットで覚えておこう!

こんなシーンに　How to use?

I will audition for a model.
モデルのオーディションを受けるの。
Fingers crossed!
幸運を祈ってる!

オーディションや入学試験、面接を受ける人に、「Good luck!」と同じ意味で使えるよ。

動画で復習!

覚えてCHECK!

「いいね!」

Thumbs up !

サムズ　アップ

フレーズ解説

「thumb」は親指のこと。「いいね」というときに親指を立てるジェスチャーをするよね。SNSのいいねマークも親指を立てたマーク。それいいね、賛成をあらわすよ。

こんなシーン に　How to use?

Thumbs up!
いいね!

行動や提案に対して、それ最高だね、バッチリと伝えたいときに親指を立てたジェスチャーと一緒に。

動画で復習!

覚えてCHECK!

「いいね!」

Sounds good!

サウンズ　グッド

フレーズ
解説

音という意味の「sound」は動詞として使うと「〜のように感じられる」という意味に。いいように感じられるが転じて「いいね」に。「最高」と伝えたいときは「Sounds great!」。

こんなシーンに　How to use?

Sounds good!
いいね!
Do you want to make a dessert?
デザートを作らない?

相手が何か提案したことに対して、いいねと賛同、共感したときの答えで使える。

動画で復習!

覚えてCHECK!

「またね!」

Keep in touch !

キープ　イン　タッチ

フレーズ
解説

「touch」はさわる。その状態を保つということから、連絡を取り合うという意味に。そこから転じ「またね」というニュアンスに。次も会いたい人に使ってみよう。

こんなシーンに

How to use?

Keep in touch!
またね～
We need to go. Bye!
もう行かなくちゃ。バイバイ!

別れ際のあいさつとしてさらりと言うとカッコいい。メールや手紙の最後にも使える。

動画で
復習!

覚えてCHECK!

「がんばって!」

Break a leg !

ブレイク　ア　レッグ

フレーズ
解説

直訳は「脚を折る」。舞台上の人への応援として声をかけたことから使われている説が。

こんなシーンに　How to use?

Break a leg!
がんばって!

「Good luck!」と同じように成功を祈っている、がんばってというときに。

動画で復習!

覚えてCHECK!

「がんばって!」

Hang in there !

ハング　イン　ゼア

フレーズ
解説

「hang」はつかまる。高いところにつかまり踏ん張っているようすから「がんばれ」に。

こんなシーンに　How to use?

Hang in there!
がんばって!

崖っぷち、困難な状況の人に、諦めずにがんばれと伝えたいときに。

動画で復習!

覚えてCHECK! ☑

「おやすみ」

Sweet dreams.

スウィート　ドゥリームス

フレーズ
解説

「すばらしい夢」という意味から「おやすみ」をあらわす表現に。夢は何度も見るので複数形。

こんなシーンに　How to use?

Sweet dreams.
おやすみ。

家族や恋人など親しい人に。甘い表現なので、友人には「Good night.」を。

＼動画で復習!／

覚えてCHECK! ☑

「行ってきます」

I'm off.

アイム　オフ

フレーズ
解説

「off」はいなくなる。私がその場から去るという意味から「行ってきます」に。

こんなシーンに　How to use?

I'm off.
行ってきます。

出かけるときに使うと「行ってきます」「じゃあね」という意味に。

＼動画で復習!／

Lesson 2

SNSでベラベラ

直接会わなくてもネット上で
海外の人とつながれる時代。
SNSやメールで使える
便利なフレーズを教えるよ。
早くメッセージを返すために
全て小文字にするのもありだよ。

Let's take
a selfie!

覚えてCHECK!

「なるべく早く」

ASAP

エイサップ

フレーズ解説

至急をあらわす「as soon as possible」の頭文字を取ったもの。会話の中でも使える。

こんなシーン に　How to use?

クロエ
Sorry! I overslept.
I'm coming ASAP!

時間に遅れそうだけど、なるべく早く行くねと伝えたいときに。文末に入れる。

動画で復習!

覚えてCHECK!

「今のところ・なう」

atm

エイティエム

フレーズ解説

「at the moment」の略。「now」の「今」よりも今まさに、ちょうど今という瞬間的なこと。

こんなシーンに　How to use?

I'm here atm

現時点でいる場所を示すときに。メールやSNSで「～なう」的に使ってみて。

動画で復習!

覚えてCHECK!

「大親友」

BFF

ビーエフエフ

フレーズ
解説

ずっと親友でいようねという「best friend forever」の略。女子高生の間で浸透。

こんなシーン に　How to use?

#BFF

友だちと一緒の写真をSNSに投稿するときにハッシュタグでつけることが多い。

動画で復習!

覚えてCHECK!

「ところで」

BTW

ビィーティーダブリュ

フレーズ
解説

ところで、そういえばと話題を変えたいときに使う「by the way」の頭文字を取った略語。

こんなシーン に　How to use?

クロエ
I'm shopping now
BTW,
Did you have lunch?

途中から話題を変えたいときにメールでは「BTW」と略語を使うと便利。

動画で復習!

覚えてCHECK!

「マジ!?」

FR

エフアール

フレーズ
解説

「for real」の略で、本当に!?　マジで!?という意味。驚くようなことが起こったときに使う。

こんなシーンに　How to use?

クロエ
Noa's here!
FR

メールやチャットなどインターネット上での会話で「マジ!?」と返したいときに。

動画で復習!

覚えてCHECK!

「会いたい」

IMY

アイエムワイ

フレーズ
解説

あなたが恋しいという「I miss you.」の略。恋人だけでなく友だちや家族にも気軽に使える。

こんなシーンに　How to use?

IMY

ずっと会っていない友だちに「会えなくてさみしいね」と気持ちを伝えたいときに。

動画で復習!

覚えてCHECK! ☑

「冗談だよ」

JK

ジェイケイ

フレーズ
解説

女子高生ではなく、冗談を意味する「just kidding」の略。書き言葉として使うよ。

こんなシーンに How to use?

クロエ
JK

友だちをからかうときに「ウッソー冗談だよ」と軽いノリで使ってみよう。

動画で復習!

覚えてCHECK! ☑

「思わず笑うほど面白い」

LOL

エルオーエル

フレーズ
解説

声に出して笑うという「laugh out loud」の略。日本で使う「(笑)」と同じだよ。

こんなシーンに How to use?

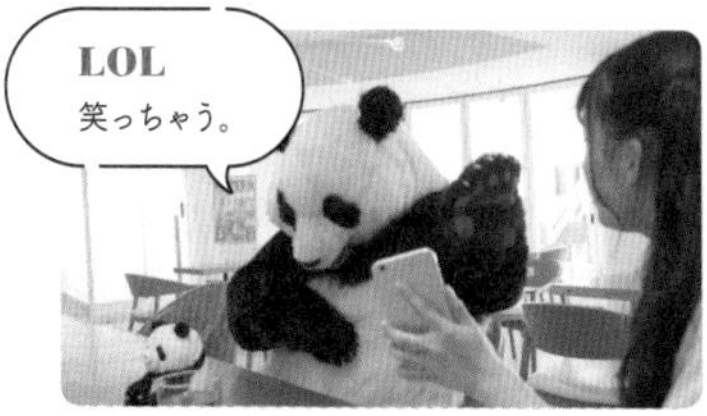
LOL
笑っちゃう。

SNSで面白い投稿を見たときのコメントに「LOL」と書きこんでみて。

動画で復習!

覚えてCHECK! ☑

「いいよ」

NP

エヌピー

フレーズ
解説

「No problem.」の略で、問題なし、いいよという意味。「Thanks.」に対しての返事にも使える。

こんなシーンに　How to use?

Can we change the day?
日にちずらせる?
NP
いいよ。

お願いごとをされて「いいよ～」と承諾するときに。気軽に答えるときに使おう。

\ 動画で復習! /

覚えてCHECK! ☑

「今日のコーディネート」

OOTD

オーオーティディ

フレーズ
解説

「outfit of the day」の略。SNSで「#OOTD」で検索するとおしゃれの参考になるよ。

こんなシーンに　How to use?

#OOTD

Instagramなどに今日のコーディネートを投稿するとき、ハッシュタグをつけて。

\ 動画で復習! /

覚えてCHECK!

「びっくり!」

OMG！

オーエムジー

フレーズ解説

驚いたときや感動したときに使う「Oh my God!」の略。軽いノリで使うことが多いよ。

こんなシーンに　How to use?

OMG!
びっくり!

衝撃を受けるほど驚いたときに。メールやSNSでは文頭か文末に入れて。

動画で復習!

覚えてCHECK!

「おおげさ」

OTT

オーティーティー

フレーズ解説

「over the top」の略。top（上）をさらに超えた状態をさし、「おおげさ」という意味に。

こんなシーンに　How to use?

クロエ
That's so OTT

過剰なリアクションに対して「やりすぎだよ」と言いたいときに。

動画で復習!

覚えてCHECK!

「ありがとう」

TKS

ティーケイエス

フレーズ
解説

「Thank you.」をカジュアルに「Thanks.」というけれど、それをさらに略したもの。

こんなシーンに　How to use?

TKS
ありがとう

友だちや親しい人にメールやSNSでお礼を伝えたいときに使うとカッコいい。

動画で復習!

覚えてCHECK!

「またあとでね」

TTYL

ティーティーワイエル

フレーズ
解説

メールやチャットで使われる「Talk to you later.」の略。またあとで話そうねという意味。

こんなシーンに　How to use?

クロエ
話したいから
7時に電話するね!
OK!また後でね
TTYL

ネット上の会話で「あとで話そうね」と一旦切るときに使うあいさつ。

動画で復習!

覚えてCHECK!

「あいさつのキス」

XX

エックスエックス

フレーズ解説

「X」が口をすぼめた形に似ていることから
キスの意味で使用。「XOXO」と書くことも。

こんなシーンに　How to use?

クロエ
See you later XX

メールや手紙の文末に書けば、お別れのキスの意味に。友だちや恋人同士で使って。

動画で復習!

覚えてCHECK!

「それ最高!」

Million dollar smile !

ミリオン　ダラー　スマイル

フレーズ解説

直訳すると100万ドルの価値がある笑顔。
そこから笑顔になるほど最高!という意味に。

こんなシーンに　How to use?

SNSのステキな投稿に対して「それいいね」とコメントしたいときに。

Million dollar smile!
それ最高!

動画で復習!

better better Column

VOL. 1

まだまだあります！ メールやSNSで使える略語集

おやすみ～

GN

Good night.

夜、寝る前のメールのやり取りで使える。

じゃあね

CYA

See you.

「see」を「C」で表現したもの。やりとりの最後に使って。

ここだけの話ね

BM&Y

between me and you

ほかの人には知られたくない内緒話をするときに。

すぐに戻るよ

BRB

Be right back.

チャット中にちょっと席を外すときに使える。

参考までに

FYI

for your information

情報を伝えるときに。「ちなみに」という意味でも使える。

大爆笑

ROFL

rolling on the floor laughing

超ウケる～、めちゃくちゃ面白いときの表現。

フォローするからフォローしてね

#f4f

Follow for follow.

相互フォローしましょうという意味のハッシュタグ。

振り返る木曜日

#tbt

Throw back Thursday.

過去の写真をSNSにアップするときにつけるハッシュタグ。

Lesson 3

身のまわりでベラベラ

会話のきっかけになりそうな身近なことを
英語で表現してみよう。

Chapter 1 カラダのこと

Chapter 2 天気・季節のこと

Chapter 3 料理・食べ物のこと

Chapter 4 遊び・行事のこと

Take it easy!

覚えてCHECK!

腹筋

abs

アブス

ほかの体の部位を英語で言ってみよう

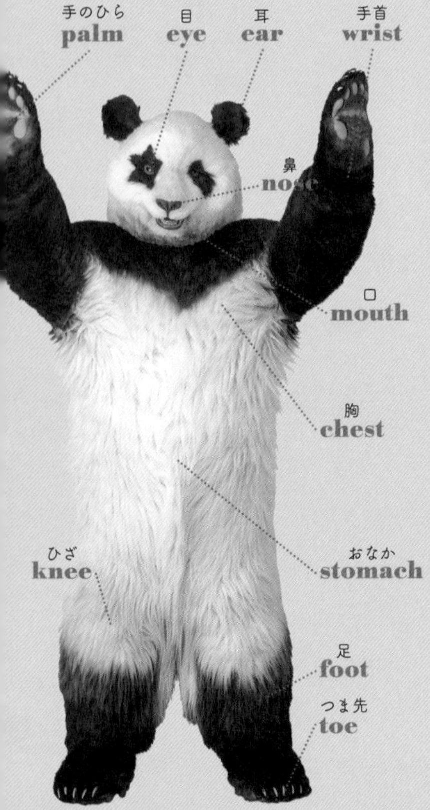
手のひら palm
目 eye
耳 ear
手首 wrist
鼻 nose
口 mouth
胸 chest
おなか stomach
ひざ knee
足 foot
つま先 toe

こんなシーンに How to use?

Nice abs!
いい腹筋だね

「abdominal muscles」の略。腹筋が6つに分かれていることは「six-pack」。

動画で復習!

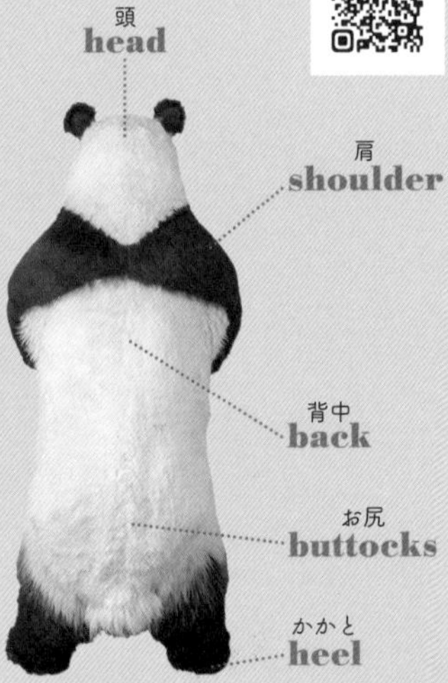
頭 head
肩 shoulder
背中 back
お尻 buttocks
かかと heel

覚えてCHECK!

「鳥肌」

goosebumps

グースバンプス

フレーズ
解説

「goose」はガチョウ、「bumps」はでこぼこ。組み合わせて鳥肌というフレーズに。「chicken skin」ではないので注意して。感動や恐怖でゾクゾクしたときにも使えるよ。

こんなシーンに

How to use?

I got goosebumps.
鳥肌が立ったよ。

寒さで鳥肌が立ったときに。鳥肌が立つと現在なら「get」にかえて。震えるような寒さが伝わるよ。

動画で復習!

覚えてCHECK!

「目がまわる」

dizzy

ディズィ

フレーズ
解説

フラフラする、目がまわるという形容詞。
立ちくらみやめまいがするときに使うよ。
実際にフラフラしなくても、忙しくて
目がまわりそうというときにも活用して。

こんなシーンに

How to use?

I feel dizzy.
目がまわる～

回転しすぎてふらついたときに。
体調が悪くめまいがしたことを伝えるときにも使える。

動画で
復習!

覚えてCHECK!

「かゆい」

itchy

イッチー

フレーズ
解説

かゆい、ムズムズするという意味。
蚊にさされたときや、肌が乾燥したとき、
目のかゆみ、服のタグが当たってチクチク
するときなど色々なかゆみに使えるよ。

こんなシーンに

How to use?

I feel itchy.
かゆいよ。

目がかゆいときは「itchy eyes」と言う。また、「itchy feet」は出かけたくてウズウズするという意味。

動画で復習!

覚えてCHECK! ☑

「日焼け」

suntan

サンタン

フレーズ
解説

太陽の日を浴び、肌が小麦色に変わることを「suntan」。肌がヒリヒリするほど赤く焼けたときは「sunburn」と表現。
ちなみに、日焼け止めは「sunblock」と言うよ。

こんなシーンに　How to use?

Did you get a suntan?
日焼けした?

夏、友だちに会ったときに肌が焼けていたら聞いてみよう。日焼けするは「get a suntan」だよ。

動画で
復習!

覚えてCHECK! ☑

「熱中症」

heatstroke

ヒートゥストゥロウク

フレーズ
解説

「heat」は熱、「stroke」は発作という意味。
この2つを合わせて熱中症とあらわす。

こんなシーンに　How to use?

I might have heatstroke.
熱中症かもしれない。

暑さでめまいや頭痛がしたときに「熱中症かも」と周囲に伝えて。

動画で復習!

覚えてCHECK! ☑

「花粉症」

hay fever

ヘイ　フィーバー

フレーズ
解説

直訳すると干し草熱だけど、植物や花によるアレルギーのことをさすよ。

こんなシーンに　How to use?

I have hay fever.
花粉症です。

くしゃみや鼻水が止まらないときに風邪ではなく、花粉症だよと説明しよう。

動画で復習!

覚えてCHECK!

「快晴」

clear sky

クリア　スカイ

フレーズ
解説

直訳すると透き通った空。雲ひとつなく
澄みわたった空のことをさす。
晴れは「sunny」だよ。天気の話ができると
会話のきっかけにもなるから覚えておこう。

こんなシーンに　How to use?

Clear sky,today.
今日は快晴です。

抜けるような青空の日に使ってみよう。英字新聞などで天気予報を見るときにも役立つよ。

関連ワード

ほかの天気用語も覚えよう。

くもり	cloudy
雨	rainy
雷	thunder

動画で
復習!

覚えてCHECK!

「じめじめする」

It's humid.

イッツ　ヒューミドゥ

フレーズ
解説

空気が湿ってじめじめする様子。ちなみに「moist」はしっとり、「wet」は濡れた状態のこと。

こんなシーンに　How to use?

It's humid.
じめじめするな〜

梅雨の時期、湿気で不快なときに使って。蒸し暑いときは「hot and humid」。

動画で復習!

覚えてCHECK!

「肌寒い」

chilly

チリィ

フレーズ
解説

ひんやりするという意味。冬の「cold（寒い）」ほどではないけど、少し寒くなってきた状態。

こんなシーンに　How to use?

It's a little chilly.
ちょっと肌寒いね。

防寒具がないと寒さを感じる季節に。「a little」は少しという意味。

動画で復習!

覚えてCHECK!

「紅葉する」

turn red

ターン　レッド

フレーズ
解説

紅葉を直接あらわす英語はないんだ。
葉っぱが色づくという意味で紅葉を表現。
黄色くなることを「turn yellow」と言うよ。
秋の葉で「autumn leaves」と表現することも。

こんなシーンに　How to use?

Turn red.
紅葉だね。

葉っぱが赤く色づいているときに。ちなみにカエデは「maple」、イチョウは「ginkgo」。

関連ワード

季節をあらわす草木のこと。

桜	cherry blossoms
新緑	fresh green
落ち葉	fallen leaves

動画で復習!

覚えてCHECK! ☑

「三日月」

crescent moon

クレッセント　ムーン

フレーズ
解説

新月から半月までの内側がへこんだ細い月の形をあらわす。「crescent」だけでも三日月をさすよ。三日月形のものにも使えるので覚えておくと便利。

こんなシーンに　How to use?

It's a crescent moon tonight.
今夜は三日月だ。

夜空を見上げてきれいな月を発見したときに。月の話ができるとロマンティックだよね。

関連ワード

月の満ち欠けを表現しよう。

満月	**full moon**
半月	**half moon**
新月	**new moon**

動画で
復習!

覚えてCHECK!

「電子レンジ」

microwave

マイクロウェイブ

フレーズ
解説

「レンジ」は和製英語なので、外国人には
通じないから注意!
電磁波で調理することから「microwave」と言うよ。
レンジで温めるという動詞としても使える。

こんなシーンに

How to use?

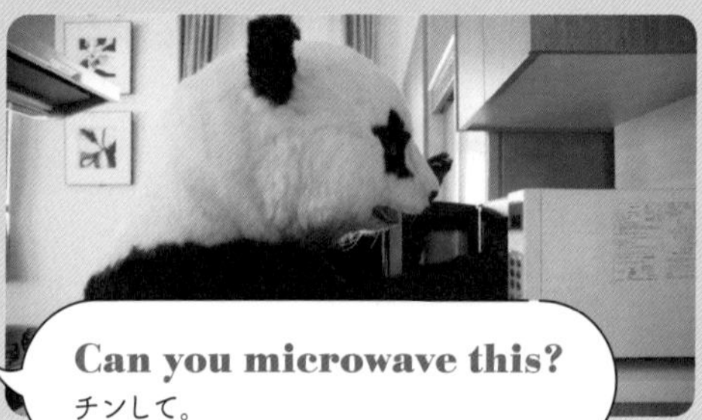

Can you microwave this?
チンして。

おかずなど冷たい料理を温めてほしいときに。コンビニでお弁当を温めたいときにも使える。

関連ワード

よく使う調理器具を英語で言うと?

炊飯器	**rice cooker**
フライパン	**frying pan**
深鍋	**pot**

動画で復習!

覚えてCHECK!

「ひとつまみ」

a pinch

ア　ピィンチ

フレーズ
解説

「pinch」は親指と人さし指でつまむこと。
ひとつという意味の「a」をつけて
「ひとつまみ」をあらわす。
レシピ用語として覚えておくといいね。

こんなシーンに　How to use?

A pinch of salt.
塩をひとつまみ。

料理をするときに、「of」のあとに調味料の名前を入れて説明してみよう。砂糖なら「sugar」

動画で復習!

覚えてCHECK! ☑

「食通」

foodie

フーディー

フレーズ
解説

食べることが好きで、食に詳しい人のことをあらわす。SNSで「#foodie」で検索すると世界中のおいしいものを探すことができるよ。日本でよく使う「gourmet」は美食家のこと。

こんなシーンに

How to use?

You are a foodie.
食通だね。

おいしいものをたくさん知っている人に。自己紹介で食通ですと「I'm a foodie.」と伝えてもいいね。

動画で
復習！

覚えてCHECK!

「甘党」

sweet tooth

スウィート　トゥース

フレーズ
解説

直訳すると甘い歯を持っていることから、「甘党」という意味に。反対の「辛党」に当たる単語はなく、お酒好きということから「drinker」ということが一般的。

こんなシーンに

How to use?

I have a sweet tooth.
私、甘党なんだ。
Me, too !
私も!

甘いものが大好き！と伝えたいときに。ケーキなど甘いものを食べに行くときに使える。

動画で復習!

覚えてCHECK!

「ほうれん草」

spinach

スピナッチ

フレーズ
解説

ほうれん草だけでなく、色々な野菜を英語で言えるようにしておくと買い物やレストランでのメニュー選びに便利。
よく食べる野菜の名前を調べてみてね。

こんなシーンに

How to use?

It's here.
ここにあります。

スーパーでほうれん草を買うときに。探している人を見かけたら教えてあげよう。

Where is the spinach?
ほうれん草はどこ?

関連ワード

ほかの野菜も英語で言ってみよう。

ピーマン	green pepper
きゅうり	cucumber
なす	eggplant

動画で
復習!

覚えてCHECK! ☑

「食べごろ」

ripe

ライプ

フレーズ
解説

果物などが熟したことをあらわす単語。
まだ食べごろでない状態は、熟していないので「green」と言うよ。
熟しすぎたときは「overripe」を使おう。

こんなシーンに

How to use?

Which one is ripe?
どれが食べごろかな?

アボカドやバナナ、リンゴなどどれが食べごろか迷ったときに、お店の人に聞いてみよう。

動画で
復習!

覚えてCHECK! ☑

「シュワシュワ」

fizzy

フィズィ

フレーズ
解説

炭酸のプシューと泡立つ音を「fizz」と言い、形容詞にするとシュワシュワ感をあらわせる。ちなみに炭酸飲料は「soda」や「pop」、気の抜けたドリンクは「flat」と言うよ。

こんなシーンに

How to use?

Fizzy!
シュワシュワ!

コーラやサイダーなどの炭酸飲料を飲んで口の中がシュワシュワすると表現したいときに。

動画で
復習!

覚えてCHECK!

「ふわふわ」

fluffy

フラッフィー

フレーズ
解説

食感がふわふわしているものに。枕やタオル、ぬいぐるみ、うさぎの尻尾などにも使える。

こんなシーンに How to use?

Fluffy and awesome!
ふわふわして最高!

パンケーキやシフォンケーキなどふわふわして軽い食感のものを食べたときに。

動画で復習!

覚えてCHECK!

「もちもち」

chewy

チューイー

フレーズ
解説

歯ごたえがある、噛みごたえがあるものに使う表現。「chew（噛む）」から来ている。

こんなシーンに How to use?

It's chewy.
もちもちしてる。

タピオカなどもちもち食感のものを食べたときに。うどんやパスタにも使える。

動画で復習!

覚えてCHECK!

「アメリカンドッグ」

corn dog

コーン　ドッグ

フレーズ解説

アメリカンドッグは和製英語。トウモロコシ粉の生地をつけてあげているからだよ。

こんなシーンに　How to use?

Let' eat a corn dog.
アメリカンドッグを食べよう!

遊園地やコンビニで見かけたら食べたくなるよね。和製英語を使わないよう注意。

動画で復習!

覚えてCHECK!

「タピオカティー」

bubble tea

バブル　ティー

フレーズ解説

丸いタピオカが泡のように見えることから「bubble」を使う。「boba tea」と言うことも。

こんなシーンに　How to use?

I want to drink a bubble tea.
タピオカティーを飲みたい。

何を飲みたいか聞かれたときに。街でタピオカティー屋を探すときにも使えるね。

動画で復習!

覚えてCHECK!

「じゃんけん」

rock-paper-scissors

ロック ペーパー シザース

フレーズ
解説

勝負を決めるじゃんけんは、日本だけでなく海外でも使える方法。英語でのかけ声を知っておくと便利。手の形が示すものは同じなので、グーは石（rock）、パーは紙（paper）、チョキはハサミ（scissors）で表現。

こんなシーンに　How to use?

Rock-paper-scissors,shoot!
じゃんけんぽん!

順番決めやゲームをするときに。かけ声は最後に「shoot」をつけて。あいこのときは繰り返すよ。

動画で復習!

覚えてCHECK! ☑

「かくれんぼ」

hide and seek

ハイド アンド シーク

フレーズ
解説

かくれんぼは日本だけでなく、海外でも遊びの定番。「hide」は隠れる、「seek」は探すという意味で、かくれんぼをさす。アメリカでは決まった数を数えずに、探しはじめるんだって。

こんなシーンに　How to use?

もういいかい？は「Are you ready ?」
見つけたときは「I found you!」。

Let's play hide and seek.
かくれんぼしよう!

関連ワード

ほかの遊びも英語で言ってみよう。

鬼ごっこ	tag
おままごと	play house
ぬり絵	coloring

動画で復習!

覚えてCHECK!

「なわとび」

jump rope

ジャンプ　ロープ

フレーズ
解説

直訳するとジャンプするロープ。道具をさすだけでなく、「なわとびをする」と使える。

こんなシーンに　How to use?

Let's jump rope!
なわとびをしよう!

健康維持のためになわとびは人気。友人を誘って一緒にやってみては。

動画で復習!

覚えてCHECK!

「早口言葉」

tongue twister

タング　トゥイスタ

フレーズ
解説

早口言葉は舌がもつれることからこう表現する。英語での早口言葉を調べて挑戦してみよう。

こんなシーンに　How to use?

Let's challenge a tongue twister.
早口言葉に挑戦しよう。

言いにくい言葉をどれだけ早く言えるか競い合う遊びのほか、発声練習として。

動画で復習!

VOL. 2

better better Column

イベントで使えるフレーズ!

ハロウィーン

Happy Halloween!
幸せなハロウィーンを!

「Trick or treat!」と言ってお菓子をもらったら「Happy Halloween!」と返しましょう!

クリスマス

Happy Holidays!
よい休日を!

「Merry Christmas!」だけでなくHappy Holidays!と挨拶してみよう。

バレンタインデー

Will you be my Valentine?
私の特別な人になってくれない?

本命チョコを渡すときに使えるフレーズ。カードに書いて添えてね。

イベントや年中行事を英語でいうと?

正月 → New Year
成人式 → Coming-of-age-ceremony
卒業式 → Graduation ceremony
お花見 → cherry blossom viewing
子どもの日 → Children's Day
夏休み → summer vacation
大晦日 → New Year's Eve

Lesson 4

日常でベラベラ

学校や会社、街中で気軽に使えるフレーズばかり。ひと言でもいいので話してみよう。

What's up?

覚えてCHECK! ☑

「お隣、隣の席」

neighbor

ネイバー

フレーズ
解説

近所の人、お隣さんという意味で隣の席。
近所、近隣は「neighborhood」だよ。

こんなシーンに　How to use?

OK.
了解。
You are my neighbor.
私の隣の席よ。

席替えがあったときや転校生に座る場所を教えてあげたいときに。

動画で復習!

覚えてCHECK! ☑

「相棒」

my buddy

マイ　バディー

フレーズ
解説

刑事ドラマでよく「バディを組む」と言うよね。
腹を割って何でも話せる親密な関係のこと。

こんなシーンに　How to use?

Seisei is my buddy!
星星は相棒だよ!

親しい友人を紹介するときに。男性には「Hey buddy」と声をかけることも。

動画で復習!

覚えてCHECK!

「私も!」

Same here !

セイム　ヒア

フレーズ
解説

「私も」は「Me, too.」が思いつくけど、同じという意味の「same」を使って伝えられるよ。会話の中で共感したり、相手の意見に賛成したときに使ってみよう。

こんなシーンに

How to use?

Same here!
私も!
I love penguins!
ペンギン大好き!

好きなものの話だけでなく、飲食店での注文で「私も同じものを」という風に使えるよ。

動画で復習!

覚えてCHECK!

「さっぱりわからない」

beats me

ビーツ　　ミー

フレーズ
解説

打つ、倒すという意味。相手の質問に対して私が倒された、参ったということ。知らない、わからないときに「I don't know.」ではなく「Beats me.」と答えるとクール。

こんなシーンに

How to use?

It beats me.
わかんな〜い。

質問されても全く答えがわからないときに。カジュアルな言い方だから先生や上司には使わないで。

動画で
復習!

覚えてCHECK!

「勉強し直す」

brush up

ブラッシュ　アップ

フレーズ
解説

日本では「完成度を高める」「向上させる」というニュアンスで使われるけど、英語の場合はスキルを磨き直す、忘れかけていたことを学び直すという意味。

こんなシーンに

How to use?

I need to brush up on my English.
英語を勉強し直さないと。

しばらく勉強していなくて忘れかけているときや、能力が落ちてきたときに。

動画で
復習!

覚えてCHECK! ☑

「休憩しよう」

take a break

テイク　ア　ブレイク

フレーズ
解説

「break」は物を壊す、破るという以外に、
継続を断ち切るという意味があるよ。
今までの流れを断つので、休憩という意味に。
「take」のほかに「have」を使うことも。

こんなシーンに

How to use?

Let's take a break!
休憩しよう!

集中して勉強している友だちに「ちょっと休もうよ」と声をかけたいときに。会社でも使えるね。

動画で
復習!

覚えてCHECK! ☑

「落ち着いて」

loosen up

ルースン　アップ

フレーズ
解説

「loosen」はゆるめるという意味。肩の力を抜いて、くつろいでというニュアンスで使う。

こんなシーンに　How to use?

Loosen up.
落ち着いて。

緊張でガチガチになっている人や、考えすぎている人に「気楽に」というノリで。

動画で復習!

覚えてCHECK! ☑

「緊張がとける」

break the ice

ブレイク　ディ　アイス

フレーズ
解説

直訳すると氷を砕く。そこから凍ったようなピリピリした状況をとかすという意味に。

こんなシーンに　How to use?

その場を和ませたいときに。堅苦しい雰囲気や、沈黙が続いているときに。

動画で復習!

覚えてCHECK!

「手伝って」

give me a hand

ギブ　ミー　ア　ハンド

フレーズ
解説

直訳すると私に手をください。日本では手伝うことを「手を貸す」とも言うよね。
それに近い表現。助けてという「help」よりも物理的に手を貸してほしいときに使うよ。

こんなシーンに

How to use?

Could you give me a hand?
手伝ってくれる?
Of course.
もちろん。

机など重たくてひとりでは運べないときに。作業をちょっと手伝ってほしいときに使ってね。

動画で
復習!

覚えてCHECK!

「さぼる」

ditch

ディッチ

フレーズ
解説

捨てる、逃れるという意味から、学校や授業をズル休みするというときに使われる。

こんなシーンに　How to use?

絶対にダメだけど、ダルくて授業に出たくない、会社に行きたくないときに。

Let's ditch the class.
授業サボっちゃおうぜ。

動画で復習!

覚えてCHECK!

「ヘトヘト」

exhausted

イグゾースティドゥ

フレーズ
解説

使いつくした、消耗したという意味。
「tired」よりも、もっと疲れた状態のこと。

こんなシーンに　How to use?

がんばって力を使い果たした人を見たときに。「ヘトヘトだよ」は「I'm exhausted.」

You look exhausted.
ヘトヘトそうだね。

動画で復習!

覚えてCHECK!

「初耳!」

That's news to me !

ザッツ　ニューズ　トゥ　ミー

フレーズ
解説

直訳すると「私にとってニュースです」。
そこから、新しい情報を耳にした、初耳に。
「聞いてないよ～」「それは知らなかった」
というニュアンスでも使えるよ。

こんなシーンに

How to use?

Squeeze lemon over the watermelon.
スイカにはレモンをかけるよ。
That's news to me!
初耳!

初めて聞いた情報に対して驚いたように言ってみよう。本当!?と「Really?」をつけても、

動画で
復習!

覚えてCHECK! ☑

「聞き覚えがある」

ring a bell

リング ア ベル

フレーズ
解説

頭の中で記憶のベルが鳴るイメージ。
具体的には思い出せないけれど、
なんとなく聞いたことがある、ピンとくる、
心当たりがあるというときに使うフレーズ。

こんなシーンに　How to use?

Do you know the writer of this book?
この本の作家、知ってる?
That rings a bell.
なんか聞いたことあるな〜。

頭の中には浮かんでいるけれど、
名前が出てこないときに。「it」や
「that」を主語にして使うよ。

動画で復習!

覚えてCHECK! ☑

「その調子で続けて」

keep it up

キープ　イット　アップ

フレーズ
解説

「〜し続ける」という意味の「keep」。
その状態を続けてというときに使うよ。
何かをがんばっている人を応援したいときに
声をかけてみよう。

こんなシーンに　How to use?

Keep it up!
その調子でがんばれ!

着実に成績が上がっている人に「その調子でがんばって」と声をかけたいときに。

動画で復習!

覚えてCHECK!

「絶好調!」

You're on a roll !

ユア　オン　ア　ロール

フレーズ
解説

「roll」は転がる。まるで転がっているように成功が続く状態。ノリに乗っているねというときに。

こんなシーンに　How to use?

You're on a roll!
絶好調だね!

うまくいっている、絶好調な人に声をかけるときに。自分の調子がいいときにも。

動画で復習!

覚えてCHECK!

「途方にくれる」

lost at sea

ロスト　アット　シー

フレーズ
解説

直訳すると海で迷子になった状態のこと。呆然とする状況から途方にくれるときに使う。

こんなシーンに　How to use?

I am lost at sea what to do.
何をしていいか途方にくれる。

宿題や課題が多く、どこから手をつけていいかわからないときに。

動画で復習!

覚えてCHECK!

「今のところ問題なし」

So far so good.

ソー　ファー　ソー　グッド

フレーズ
解説

「so far」が今のところ、ここまで。
「so good」がまあまあいいという意味。
今のところは問題ない、大丈夫という表現に。
語尾を上げていうとポジティブに伝わる。

こんなシーンに

How to use?

So far so good.
今のところ問題ないよ。
How is it going?
順調?

作業の進行状況を聞かれたときに。
学校では「今のところまで理解できている?」と聞かれることも。

動画で復習!

覚えてCHECK! ☑

「一歩ずつ」

step by step

ステップ バイ ステップ

フレーズ解説

一歩一歩、着実にという意味で、日本でいうところの熟語。ひとつのフレーズで覚えて。

こんなシーンに How to use?

Take it step by step!
一歩ずつやっていこう!

目標に向かってがんばっている人に、焦らずゆっくりねと声をかけるときに。

動画で復習!

覚えてCHECK! ☑

「それいいねー」

Right on !

ライト オン

フレーズ解説

相手が言ったことに対し、強く賛同する相槌（あいづち）。そうだそうだ、賛成!というときに。

こんなシーンに How to use?

Right on!
いいね!

「～しない?」と誘われたときに。よかったね、がんばれ!という意味でも使う。

動画で復習!

覚えてCHECK! ☑

「落ち着いて」

take it easy

テイク　イット　イーズィー

フレーズ
解説

気楽にいこう、のんびりいこうという意味。
力を抜いてがんばってと相手を励ますときに使うことが多い。
怒っている人を落ち着かせたいときにも使う。

こんなシーンに

How to use?

Take it easy.
落ち着いて。
OK.
うん。

不安になっている人に「気楽にね」と声をかけてあげるのがいい。プレゼン前の同僚にも使えるよ。

動画で
復習!

覚えてCHECK!

「静かにして」

keep it down

キープ　イット　ダウン

フレーズ
解説

「Be quiet.」は大人が子どもに注意するときによく使われるフレーズ。
初対面の人や友だちにやんわり伝えるときは「Please」をつけるといいよ。

こんなシーンに

How to use?

Please keep it down.
静かにしてね。
Slurp-slurp.
ズルズル。

共有スペースでうるさく音を立てている人や騒がしい人に「静かにして」とお願いするときに。

動画で
復習!

覚えてCHECK! ☑

「充電切れ」

My phone is out of juice.

マイ　フォン　イズ　アウト　オブ　ジュース

フレーズ
解説

「juice」はスラングで電池、ガソリンという意味が。
「out of juice」で燃料切れ、つまり充電がない。

こんなシーンに　How to use?

携帯電話の充電が切れたことを伝えたいときに。ネイティブっぽいこなれた表現。

動画で復習!

覚えてCHECK! ☑

「電波が悪い」

bad signal

バッド　シグナル

フレーズ
解説

「signal」は電波のこと。携帯電話の
受信状況やWi-Fiの回線状況が悪いときに。

こんなシーンに　How to use?

Bad signal.
電波が悪いよ。

映像や通話がとぎれとぎれになったときに「電波が悪い」と伝えよう。

動画で復習!

覚えてCHECK!

「声が聞こえないよ」

You're on mute.

ユア　オン　ミュート

フレーズ
解説

「mute」には無言の、音を消すという意味が。
音声を消す機能をミュートと言うよね。

こんなシーンに　How to use?

You're on mute.
声が聞こえないよ。

オンライン会議や電話で声が聞こえないとき、無音になっていることを知らせる。

動画で復習!

覚えてCHECK!

「(画像が)かたまっちゃった!」

You're frozen !

ユア　フローズン

フレーズ
解説

パソコンがフリーズしたの「freeze」は凍る。
過去分詞形の「frozen」でかたまったと言うよ。

こんなシーンに　How to use?

You're frozen!
かたまってるよ!

オンライン授業・会議でパソコンが動かなくなったときは「My PC is frozen」

動画で復習!

覚えてCHECK!

「品切れ」

out of stock

アウト　オブ　ストック

フレーズ
解説

日本語でも「ストックがない」と使うけど、
この「stock」は在庫という意味。
「out of」が不足していることをさす。
売り切れの場合は「sold out」

こんなシーンに　How to use?

Do you have a black one?
これの黒はあるかな?
It' s out of stock.
品切れだって。

商品の品切れを教えるときに。通販サイトでも在庫切れの場合は「out of stock」と表示されている。

動画で復習!

覚えてCHECK! ☑

「試着する」

try it on

トライ　イット　オン

フレーズ
解説

「try」は挑戦する、試す。「on」は身に着けることをあらわすので、「試着する」に。
試着室は「Fitting room」と表示されているよ。
ちなみに試食のときは「try」だけで伝わる。

こんなシーンに　How to use?

What do you think?
どう思う?
Try it on!
試着してみれば!

洋服を買うときに。店員に試着していいかを聞くときは「Can I try this on?」を使って。

関連ワード

洋服の柄に関する単語

ボーダー柄 | **stripe**

チェック柄 | **plaid**

水玉模様 | **polk dot**

動画で
復習!

覚えてCHECK!

「席を取っています」

It's taken.

イッツ　テイクン

フレーズ
解説

「取る」という意味の「take」を過去分詞形で使うと、「取られている」になる。レストランや映画館、電車で「この席あいている？」と聞かれることがあるので覚えておくといいよ。

こんなシーンに　How to use?

Is this seat taken?
この席、あいてますか？
Sorry, it's taken.
すみません、この席取っています。

席があいているかを尋ねたり、答えるときに。あいているときは「Go ahead.（どうぞ）」

動画で復習！

覚えてCHECK!

「持ち帰りで」

To go, please !

トゥ　ゴー　プリーズ

フレーズ
解説

ファストフード店などで持ち帰りたいときに使うフレーズ。日本で言う「take out」でも通じるけれど、あまり使わない表現。
お店では「For here,or to go?」と聞かれるよ。

こんなシーンに　How to use?

To go, please!
持ち帰りでお願いします!

コーヒーショップやファストフード店で注文するときに。「please」をつけてていねいに。

動画で復習!

覚えてCHECK!

「いつもの」

Same as usual.

セイム　アズ　ユージュアル

フレーズ
解説

「same」は同じ、「usual」はいつも通りという意味なので「いつもと同じ」「相変わらず」になる。「調子はどう？」と聞かれたときの返答にも使える。

こんなシーン に　How to use?

Same as usual.
いつもと同じで。
What would you like to order?
ご注文は何にしますか?

顔なじみのお店で注文を聞かれたときに「いつもの」と言えるとカッコいいよね。

動画で
復習!

覚えてCHECK!

「以上です」

That's it.

ザッツ　イット

フレーズ
解説

直訳すると「それはそうです」「それだけ」。それ以上はない、これで終了というニュアンスで使われる。説明がおわったことをあらわすときにも使える。「That's all.」もほぼ同じ意味。

こんなシーンに　How to use?

Anything else?
ほかに何かいりますか?
発売中
No, that's it.
いいえ、以上です。

注文の最後に店員から「ほかに何かいる?」と聞かれたら、「以上です」と答えよう。

動画で復習!

覚えてCHECK! ☑

「お腹いっぱい」

I'm full.

アイム フル

フレーズ
解説

「full」は満杯を意味する単語。強調したいときは「I'm so full.」と「so」をつけて。

こんなシーン に How to use?

I'm full.
お腹いっぱい。

レストランでほかにいる？と聞かれたときは「No, thank you」をつけて答えて。

動画で復習!

覚えてCHECK! ☑

「お腹ペコペコ」

I'm starving.

アイム スタァビング

フレーズ
解説

「starve」は飢えを意味し、そこから腹ペコ状態をさす。「hungry」よりも強調したいときに。

こんなシーン に How to use?

Are you okay?
大丈夫ですか？
I'm starving.
お腹ペコペコなんだ。

「お腹が空きすぎて死にそう」というニュアンスを伝えたいときに。

動画で復習!

覚えてCHECK!

「ひと口どうぞ」

Have a bite !

ハブ　ア　バイト

フレーズ
解説

「bite」は噛むという意味のほかに、「a」をつけることでひと口、ひと口サイズをあらわす。「ひと口もらってもいい?」と頼むときは「Can I have a bite?」と言おう。

こんなシーンに　How to use?

Have a bite!
ひと口どうぞ!

友だちにひと口あげたいときに。ひと口食べる?と聞くときは「Do you want a bite?」だよ。

動画で復習!

覚えてCHECK! ☑

「割り勘で」

split the bill

スプリット　ザ　ビル

フレーズ
解説

「bill」は紙幣、お勘定、「split」は分ける、分割するという意味なので、そのまま「勘定を分ける＝割り勘」になる。

こんなシーンに　How to use?

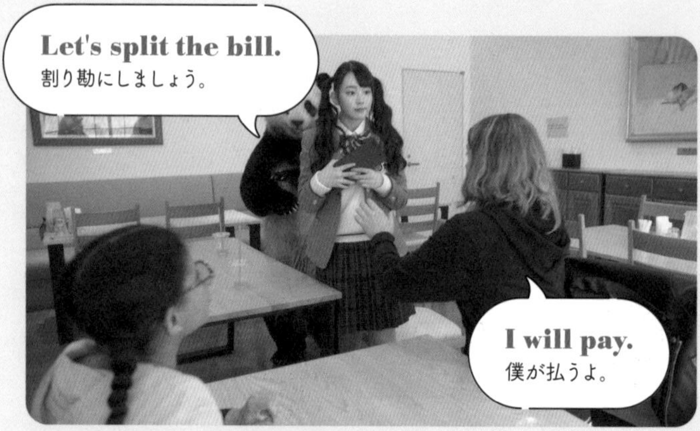
Let's split the bill.
割り勘にしましょう。
I will pay.
僕が払うよ。

食事の支払い方法を決めるときに。「私が払う、おごりだよ」は「It's on me.」とも言うので覚えてね。

動画で
復習!

覚えてCHECK!

「おまけ」

on the house

オン　ザ　ハウス

フレーズ
解説

お店から無料で何かをもらえることを日本ではサービスと言うけれど、英語では通じない。〇〇のおごりは「It's on ～」と言い、「the house」をつけて「店のおごり＝おまけ」になる。

こんなシーンに

How to use?

It's on the house.
おまけです。
Thank you.
ありがとう。

デザートやドリンクなどお店から無料で提供するときに。もらったらありがとうと答えよう。

動画で
復習!

覚えてCHECK! ☑

「どちらもおすすめ」

I like both.

アイ　ライク　ボォウス

フレーズ
解説

「both」は両方をあらわす。「どちらも好き」と答えたいときによく使う。
「Both」だけでも伝わる。「どちらかといえばA」と答えるには「If I had to choose, A.」。

こんなシーンに　How to use?

Which do you recommend?
どちらがおすすめ?
I like both.
どちらもおすすめ。

AとBのどちらがおすすめか聞かれたときに。どちらか選べないときに使える便利なフレーズ。

動画で
復習!

覚えてCHECK!

「飲み放題」

free refills

フリー　　リフィルズ

フレーズ
解説

日本では「ドリンクバー」と呼ぶけれど、これは和製英語。「refill」は再び満たす、おかわり、「free」は無料。おかわり無料ですよという意味なので、「飲み放題」に。

こんなシーンに　How to use?

Free refills.
飲み放題。

カフェやレストランの注文のときに。ちなみに食べ放題は「buffet」や「all-you-can-eat」と言うよ。

動画で
復習!

覚えてCHECK!

「あそこ」

over there

オーバー　ゼェア

フレーズ
解説

「あそこ」「向こう」と方向をさすフレーズ。すぐそこ「there」よりも離れた場所をさす。「こっちだよ」「こっちに来て」と近い距離を示すときは「Over here.」と言うよ。

こんなシーンに

How to use?

Where is the red panda?
レッサーパンダはどこ?
Over there.
あそこだよ。

場所を聞かれたときに、指で方向をさしながら教えてあげると親切。道案内で使える鉄板フレーズ。

動画で
復習!

覚えてCHECK!

「通ります」

coming through

カミング　スルー

フレーズ
解説

「through」は「～を通り抜けて」という意味。
人混みで道をあけてほしいときや、
電車でドアの前が混んでいるときに
「ちょっと通ります」と使う決まり文句。

こんなシーンに　How to use?

Coming through!
通りまーす!
日清製粉グループ

道がふさがれて通れないときに。
「Excuse me!」とつけるとていねいな言い方になるよ。

動画で
復習!

覚えてCHECK!

「お先にどうぞ」

After you.

アフター ユー

フレーズ
解説

直訳すると「あなたのあとに」、つまり
「私はあとでいいよ」と相手に譲るニュアンス。
初対面の人にも使えるていねいな言い方。
簡単だけどさらりと言えるとカッコいい。

こんなシーンに

How to use?

After you.
お先にどうぞ。

エレベーターで降りるときに。また、建物や乗り物の入り口で相手を先に通すときにひと声かけて。

動画で復習!

覚えてCHECK!

「すべりやすいよ」

It's slippery.

イッツ　スリッパリィ

フレーズ
解説

表面がツルツルしてすべりやすいことを「slippery」と言うよ。
ちなみに室内履きのスリッパは「slippers」。足をすべり入れて履くものをさすんだって。

こんなシーン に　How to use?

Watch out! It's slippery.
気をつけて！　すべりやすいよ。

濡れてすべりやすくなっている床や、凍結した道路で注意を促すときに。道案内のときにも使えるね。

動画で復習！

覚えてCHECK! ☑

「左右を見て」

Look both ways.

ルック　ボォウス　ウェイ

フレーズ
解説

「both ways」で両方の道。両方の方向を見て、つまり左右を見てねという意味になるよ。ちなみに日本では青信号だけど、英語では「blue」ではなく「green」なので間違えないで。

こんなシーン に　How to use?

Look both ways!
左右を見て!

道を渡ろうとしている人に声をかけるときに。横断歩道があっても、左右確認は忘れずに！

関連ワード

道路を歩くときに使える単語。

横断歩道	zebra crossing crosswalk
信号機	traffic light

動画で
復習!

覚えてCHECK!

「座って」

take a seat

テイク　ア　シート

フレーズ
解説

直訳すると「席を取れ!」と命令口調だけど、
「座ってください」という意味に。
カフェなどカジュアルなお店で「Take a seat.」
と店員さんに声をかけられることもあるよ。

こんなシーンに　How to use?

Here, take a seat.
ここに座って。

席に座ってと声をかけるとき。「please」をつけるとていねいな響きに。「take」を「have」にかえても。

動画で復習!

覚えてCHECK!

「どうぞ」

Here you go.

ヒア ユー ゴー

フレーズ
解説

相手に物を渡すときに使うお決まりのフレーズ。借りたものを返すときにも使えるよ。

こんなシーンに How to use?

Here you go.
どうぞ。

落ちている上着を渡すとき。「それ取って」と頼まれて物を渡すときにも。

動画で復習!

覚えてCHECK!

「どうぞ」

Take this.

テイク ディス

フレーズ
解説

主に自分が持っている物を渡すときに「これ、どうぞ」という意味で使う。

こんなシーンに How to use?

Take this.
どうぞ。

ハンカチやティッシュを貸すときや、地図、パンフレットを渡すときに。

動画で復習!

覚えてCHECK! ☑

「真似してみて」

Follow my lead.

フォロー　マイ　リード

フレーズ
解説

直訳すると「私の案内に続いて」なので、
私の真似してみてという意味に。
神社でのお参りの仕方や、お箸の使い方、
食事の仕方など外国人に教えるときに使える。

こんなシーンに　How to use?

Follow my lead.
真似してみてください。

言葉で説明しにくいことを動作で教えたいとき、実際にやってみせてあげよう。

動画で
復習!

覚えてCHECK!

「つかまって!」

Hold on !

ホールド　オン

フレーズ
解説

「hold」はしっかりつかむ、支えるなどさまざまな意味があり、「hold on」も幅広いシーンで使える便利な熟語。つかまる、しがみつくのほかには「待ってて」「（諦めずに）がんばれ」。

こんなシーンに　How to use?

Hold on!
つかまって!
Thanks.
ありがとう。

電車で揺れたときに。「つり革につかまって」と伝えたいときは「Hold on a strap.」

動画で復習!

覚えてCHECK!

「ちょっと待って」

Wait a second.

ウェイト ア セカンド

フレーズ
解説

「second」は2番目という意味以外に「秒」をさす。一瞬だけ待ってほしいときに使う表現。

こんなシーンに How to use?

Wait a second.
ちょっと待って。

忘れものを取りに行ってすぐに戻るときに。呼び止めたいときにも使えるよ。

動画で復習!

覚えてCHECK!

「あっちいけー」

Beat it !

ビート イット

フレーズ
解説

「うるさいな～、あっち行って!」と少しキツい言い方なので、目上の人には使わないで。

こんなシーンに How to use?

Beat it!
あっちいけー!

蚊やコバエなど虫を追い払うときに。ちょっかいを出してくる人に使うことも。

動画で復習!

覚えてCHECK!

「家にいよう、健康でいよう」

Stay home , stay healthy.

ステイ　ホーム　ステイ　ヘルシー

フレーズ
解説

新型コロナ感染拡大予防に「家にいよう」と呼びかけられていたよね。海外では、「健康で過ごそう」と健康維持についても声をかけ合っていたよ。

こんなシーンに

How to use?

不要不急の外出を控え、感染症の収束を願って、家で健康に過ごそう。予防対策も忘れずに！

Stay home , stay healthy.
家にいよう、健康でいよう。

関連ワード

コロナ禍で耳にした言葉を英語にすると。

新しい生活様式 ｜ **new normal**

手の消毒液 ｜ **hand sanitizer**

動画で復習!

覚えてCHECK!

「お風呂に入る」

take a bath

テイク　ア　バス

フレーズ
解説

日本語では「入る」というけれど、英語では行動を取る意味の「take」を使って表現する。

こんなシーンに　How to use?

I like to take a bath.
お風呂に入るのが好き。

シャワーを浴びるは「take a shower」。「take」を「have」にかえても通じる。

動画で復習!

覚えてCHECK!

「うがい」

gargle

ガーグル

フレーズ
解説

のどでうがいをするときのガラガラ音が由来と言われている。手を洗うは「wash hands」

こんなシーンに　How to use?

Let's gargle!
うがいをしよう!

こまめな手洗いとうがいが感染症予防に効果的。家族や友人と声をかけ合って、忘れずにやって。

動画で復習!

覚えてCHECK! ☑

「寝落ちする」

drift off

ドゥリフトゥ　　オフ

フレーズ
解説

「drift」は漂う。漂うように自然と眠りに入ってしまうことをあらわすよ。意識が遠くなってぼーっとした状態にもこの表現を使うことがある。

こんなシーンに　How to use?

I drifted off.
ウトウトしてた。

いつの間にか寝ていたことを周りに伝えるときは、「drift」を過去形にする。

関連ワード

眠りに関する英語を覚えよう。

寝坊	**oversleep**
昼寝	**nap**

動画で復習!

覚えてCHECK!

「入るよ〜」

Knock knock.

ノック　ノック

フレーズ
解説

「トントン」とドアをノックする音。
手でドアをたたく代わりに声に出して言うことで「中に入るよ」という合図になる。
会社や学校でも使えるフレーズ。

こんなシーンに　How to use?

Knock knock.
入るよ〜。

部屋に入る前の合図として。親しい仲なら、ドアをたたかなくても声に出すだけで伝わる。

動画で復習!

覚えてCHECK!

「散らかっている」

messy

メェスィ

フレーズ
解説

散らかった状態のことをさすワード。
物があちこち散乱して汚い部屋のことを言う。
髪がボサボサ、服がヨレヨレといった
だらしないようすに使うことが多い。

こんなシーンに

How to use?

It's so messy.
散らかっているね。

ごちゃごちゃして汚い部屋に対して。机の上が散らかっているときは「My desk is messy.」

動画で復習!

覚えてCHECK!

「おかわり」

I want seconds.

アイ　ウォントゥ　セカンド

フレーズ
解説

直訳すると「2回目が欲しい」ということから「おかわり」をあらわす。
さらにおかわりをしたいときは3回目なので「I want thirds.」と言うよ。

こんなシーンに　How to use?

I want seconds.
おかわりちょうだい!

2杯目のご飯がほしいときに。「おかわりいる?」と聞くなら「Do you want seconds?」を使う。

動画で
復習!

覚えてCHECK! ☑

「ちょっと聞いて」

Guess what ?

ゲス　　ワットゥ

フレーズ
解説

直訳すると「何か推測してみて」。
期待を持たせるような表現で、話をする前に「ちょっと聞いて」と使う。
話の内容に興味を持ってもらうための前置き。

こんなシーンに

How to use?

Guess what?
ねぇ、ちょっと聞いて。
What?
何?

楽しい予定を知らせたいときに。「ねえねえ、聞いて」とまずは相手の気を引く。

動画で復習!

覚えてCHECK! ☑

「いろいろ聞かせて!」

Catch me up !

キャッチ　ミー　アップ

フレーズ
解説

「catch up」は追いつく、遅れを取り戻すとしてよく使われる熟語。そこから派生して「近況を話す」と使われる。
友だちに久しぶりに会ったら使いたいフレーズ。

こんなシーンに　How to use?

Catch me up!
色々聞かせて!

しばらく会って話をしていなかった友だちに、「近況を教えて」と伝えるときに。

動画で
復習!

覚えてCHECK!

「ハマってる」

I'm into〜.

アイム　　イントゥ

フレーズ
解説

「into」は中にすっぽり入るようすをあらわすワード。仲良くなりたい人に「What are you into?（何にハマっているの?）」と聞くと会話が盛り上がること間違いなし。

こんなシーンに　How to use?

I'm super into this manga.
めちゃくちゃハマってる。
Do you like that manga?
そのマンガ好きなの?

ただハマっているだけでなく超ハマっているときは「super」をつけると強調できる。

動画で
復習!

覚えてCHECK!

「感動した」

I was moved.

アイ　ワズ　ムーヴドゥ

フレーズ
解説

「move」は動くと訳されることが多いけど、感動させるという意味もあるよ。
本を読んで、映画やドラマを見て、スピーチを聞いて心が動かされたときに使う。

こんなシーンに　How to use?

I was moved to tears.
涙が出るほど感動した。

ただ感動しただけでなく、涙が出るほど感動したときにこの一文を使う。セットで覚えて。

動画で
復習!

覚えてCHECK!

「ビビり」

scaredy-cat

スケアディ　キャット

フレーズ解説

「scared」は怖がっているという意味。
おびえた猫のように怖がっている人をさす。

こんなシーンに　How to use?

You're scaredy-cat!
あなた、ビビりね!

怖がりな人のことを少しからかうときに。お化け屋敷などで使えるね。

動画で復習!

覚えてCHECK!

「のんき」

happy-go-lucky

ハッピー　ゴー　ラッキー

フレーズ解説

きっとうまくいく、なんとかなるという意味。
楽観的な人、のんきな人のことをさすよ。

こんなシーンに　How to use?

You're happy-go-lucky.
のんきだね。

心配事がないように見える、ハッピーな人に「のん気な人ね」と言うときに。

動画で復習!

覚えてCHECK!

「もう！　早くー！」

Come on !

カモン

フレーズ
解説

「来て」と人を呼ぶときによく使われる熟語。
イントネーションによって意味が変わるよ。

こんなシーンに　How to use?

Come on!
もう！　早くー！

急かすように強めに言ってみよう。ジェスチャーも加えるとわかりやすい。

動画で復習！

覚えてCHECK!

「早く！」

Tick tock !

ティック　トック

フレーズ
解説

「チクタク」と時計の針の音をあらわす擬音。
語尾を上げて言うと「早く！」という意味に。

こんなシーンに　How to use?

Tick tock～！
時間がないよ、急いで！

のんびり行動している人に急ぐよう促すときに。語尾を上げて強めに発音して。

動画で復習！

覚えてCHECK!

「ハイタッチ!」

High five !

ハイ　ファイブ

フレーズ解説

手を高く上げて合わせる「ハイタッチ」は和製英語。「five」は5本指のことをさす。

こんなシーンに　How to use?

High five !
ハイタッチ!

試合に勝ったときなど、仲間で喜びを表現するときに。今はひじタッチにしようね。

動画で復習!

覚えてCHECK!

「乾杯!」

Cheers !

チェアーズ

フレーズ解説

グラスを合わせるときに使う掛け声。親しい人と別れるときに使うと「じゃあね」のあいさつに。

こんなシーンに　How to use?

Cheers!
乾杯!

パーティや飲み会でスタートの合図としてよく使われるカジュアルな表現。

動画で復習!

覚えてCHECK! ☑

「お泊まり」

sleepover

スリープオーバー

フレーズ
解説

ホテルに泊まるときではなく、友だちや親しい人の家に泊まるときに使うワード。

こんなシーンに　How to use?

Do you want to sleepover?
泊まっていかない?

OKのときは「Yes, please. Sounds great!」、ダメなときは「Sorry,I have to go home.」

動画で復習!

覚えてCHECK! ☑

「パーティを開く」

throw a party

スロォウ　ア　パーティ

フレーズ
解説

投げるという意味の「throw」だけど、「催す」としても使われるよ。

こんなシーンに　How to use?

Let's throw a party!
パーティしよう!

誕生日パーティやクリスマスパーティを開催するときに。定番の表現なんだ。

動画で復習!

覚えてCHECK! ☑

「楽しみ!」

I can't wait !

アイ　キャント　ウェイト

フレーズ
解説

直訳すると「私は待つことができない」。
つまり待ちきれないほど楽しみという意味。
好きなアーティストのライブや、デートなど
楽しみな予定があるときに感情を込めて言って。

こんなシーンに

How to use?

I can't wait!
楽しみ!

超楽しみなときに。あなたに会うのが楽しみ！は、「I can't wait to see you!」

動画で
復習!

覚えてCHECK!

「久しぶり!」

Long time no see !

ロング タイム ノー シー

フレーズ
解説

「long time」は長い間、「no see」は見ていない。
つまり「久しぶり」ということ。
久しぶりに話すときは「long time no talk」、
久々のメールには「no mail」と応用できる。

こんなシーンに

How to use?

Long time no see!
久しぶり!

しばらく会っていなかった友だちとのあいさつに。カジュアルな表現。

動画で
復習!

覚えてCHECK! ☑

「あっという間」

time flies

タイム　フライズ

フレーズ
解説

直訳すると「時間が飛ぶ」。つまり、時間が飛ぶように過ぎていく、あっという間。日本のことわざ「光陰矢の如し」をあらわす熟語なので、ぜひ覚えておこう。

こんなシーンに　How to use?

Time flies!
あっという間!

「Time flies when you are having fun.」＝楽しい時は時間が経つのが早いと一文で覚えておくといい。

動画で
復習!

覚えてCHECK! ☑

「今、向かっているよ」

On my way.

オン　マイ　ウエイ

フレーズ
解説

直訳すると「道の途中にいる」ということから「そっちに向かっている」をあらわす。

こんなシーンに　How to use?

On my way.
今、向かっているよ。

待ち合わせに遅れそうなときに。メールには頭文字をとって「OMW」と表記。

動画で復習!

覚えてCHECK! ☑

「行く時間」

time to go

タイム　トゥ　ゴー

フレーズ
解説

「time to～」は「～をする時間」という意味。「go」を入れることで「行く時間」になるよ。

こんなシーンに　How to use?

It's time to go.
もう行く時間だ。

出かけるときや、帰らないといけないときに。寝る時間なら「to bed」をつけて。

動画で復習!

覚えてCHECK!

「ゆっくりして」

Take your time.

テイク　ユア　タイム

フレーズ
解説

直訳すると「あなたの時間をかけて」。
つまり、自分のペースでどうぞということ。
急がなくていいよ、あわてないでと伝えたいときに使える便利なフレーズ。

こんなシーンに

How to use?

Thank you.
ありがとう。
Take your time.
あわてないで。

作業が遅れてあわてている人を見かけたときに。どれにしようか迷っているときの声かけにも使える。

動画で
復習!

覚えてCHECK! ☑

「気をつけて!」

Take care!

テイク　ケア

フレーズ
解説

「care」は気にかける、配慮という意味があり、「take care」は気をつけてという熟語。別れ際のあいさつとして「気をつけて」と使うほかに、病人に「お大事に」と声をかけるときに。

こんなシーンに　How to use?

Take care!
またね、気をつけて!
You too.
あなたもね。

「じゃあね」「さよなら」のニュアンスで使うことが多い。返事は「You too」や「Thank you」。

動画で
復習!

覚えてCHECK!

「気にしないで」

Never mind.

ネバー　マインド

フレーズ解説

気にするという意味の「mind」を「never」で強く否定することから「気にしないで」に。

こんなシーン に　How to use?

Never mind.
気にしないで。
I'm so sorry.
本当にごめんなさい。

謝っている相手に、たいしたことがないから気にしないでと伝えたいときに。

動画で復習!

覚えてCHECK!

「気にしないで」

Don't worry.

ドント　ワォリィ

フレーズ解説

「worry」は心配するという意味。それを否定するので「心配しないで」「気にしないで」。

こんなシーンに　How to use?

Oops!
しまった!
Don't worry.
気にしないで。

水をこぼしてしまったり、何か失敗をして落ち込んでいる人にかける言葉。

動画で復習!

覚えてCHECK!

「がんばって!」

Go for it !

ゴー　フォー　イット

フレーズ
解説

「がんばれ」を意味するフレーズはたくさんあるけれど、この場合は何かに躊躇(ちゅうちょ)している人、新しいことに挑戦する人の背中を押すように応援するイメージ。スポーツの試合でも使える。

こんなシーンに　How to use?

Go for it!
がんばって!

挑戦することにためらっている人を見かけたら、「やってみなよ」と声をかけてあげよう。

動画で復習!

覚えてCHECK! ☑

「似合ってる」

suit you

スーツ　ユー

フレーズ解説

洋服のスーツと同じ綴(つづ)りだけど、動詞として使うと「似合う」という意味になるよ。

こんなシーンに　How to use?

FITTING ROOM
It suits you.
似合ってるよ。
Is it too much?
派手かな…?

試着して悩んでいるときや、新しい服を着てきたときに。「So cute!」と感想をつけて。

動画で復習!

覚えてCHECK! ☑

「大変身」

makeover

メイクオーバー

フレーズ解説

雰囲気を変えることを「イメチェン」と日本語で言うけれど、これは和製英語なので通じない。

こんなシーンに　How to use?

Makeover!
大変身!

服や髪型を変えたときに。また、部屋の模様替えをしたときにも使えるワード。

動画で復習!

Lesson 5

一文（ワンセンテンス）でベラベラ

文章で覚えておけば、いざというときに困らない鉄板センテンス。表現の幅が広がるよ。

Keep it up!

覚えてCHECK! ☑

「案内するよ」

I will show you around.

アイ　ウィル　ショウ　ユー　アラウンド

フレーズ
解説

直訳は「このあたりをあなたにお見せします」。
そこから「案内するよ」という意味に。
外国人観光客に道を尋ねられたときや、
友だちを案内したいときに使えるよ。

こんなシーンに

How to use?

I'd like to go to the temple.
神社に行きたいのですが。
I will show you around.
案内するね。

目的地までの行き方を聞かれたときに。地図で示すのもいいけれど、案内してあげると親切。

動画で
復習!

覚えてCHECK! ☑

「連れて行くよ」

I will take you.

アイ　ウィル　テイク　ユー

フレーズ
解説

ここで使われている「take」は「連れて行く」という意味。あなたを連れて行くことから、案内するという意味にも。youのあとに「to」をつけて場所を入れるとわかりやすい。

こんなシーンに　How to use?

Thank you!
ありがとう!
I will take you to the classroom.
教室に連れて行ってあげる。

特定の場所に連れて行くときに。
動物園なら「to the zoo」、遊園地なら「to the amusement park」

動画で復習!

覚えてCHECK! ☑

「お肉屋さんはどこですか?」

Where is the butcher ?

ホウェア　イズ　ザ　ブッチャー

フレーズ
解説

場所を尋ねるときのお決まりの表現が「Where is ～?」。後ろにお店など行きたい場所を入れるだけ。場所を聞かれたときに理解できるよう色々なお店を英語で覚えておこう。

こんなシーンに　How to use?

Where is the butcher?
お肉屋さんはどこ?
Over there!
あそこです!

街でお店やレストランの場所を尋ねられたとき、答えられるようにしておこう。

関連ワード

ほかの店の名前も覚えておこう。

魚屋	fishmonger
薬局	drugstore
電気屋	electronics store

動画で
復習!

覚えてCHECK! ☑

「2つ目の角を左に曲がって」

Take your second left.

テイク　ユア　セカンド　レフト

フレーズ解説

道案内をするときに使いたい簡単なフレーズ。「take」は「～に行く」と目的地に向かって進むことをあらわす。あなたから見て2番目の角を左に曲るという意味になる。

こんなシーンに　How to use?

Where is the fishmonger?
お魚屋さんはどこですか?

Take your second left.
2つ目の角を左に曲ったところです。

道を尋ねられて案内するときに。わからないときは「I' m sorry, I don't know.」

関連ワード

道を説明するときに使えるフレーズ。

真っ直ぐ進む | **go straight**

渡る | **cross**

突き当たり | **the end of ～**

動画で復習!

覚えてCHECK!

「列に並んでください」

Please stand in line.

プリーズ　スタンド　イン　ライン

フレーズ解説

直訳すると「列に立って」なので、列に並んでという意味になる。駅のホームでも使えるね。

こんなシーン　How to use?

Please stand in line.
列に並んでください。

観光地では行列ができる人気店が多いので「並んで」と教えてあげると親切。

動画で復習!

覚えてCHECK!

「靴を脱いで」

Take off your shoes.

テイク　オフ　ユア　シューズ

フレーズ解説

「take off」は飛行機が離陸すること以外に、身に着けているものを外すという意味がある。

こんなシーン　How to use?

I see.
わかったわ。
Please take off your shoes.
靴を脱いでください。

海外では靴を脱ぐ習慣がないので、脱ぐ場所では外国人に教えてあげよう。

動画で復習!

覚えてCHECK!

「遅れています」

I'm running late.

アイム　ランニング　レイトゥ

フレーズ
解説

遅れるときは「late」だけど、遅刻しそうなときは「running late」を使うとネイティブ風。ちなみにこの場合の「running」は走るではなく、その状態が続いているというニュアンス。

こんなシーンに　How to use?

I'm running late.
遅れています。

待ち合わせに遅れそうで、連絡をするときに。少しなら「a little」、とてもなら「very」をつける。

動画で復習!

覚えてCHECK! ☑

「最高の日になったよ」

You made my day.

ユー　メイド　マイ　デイ

フレーズ
解説

直訳では「あなたは私の日を作った」。転じて「あなたのおかげで最高な日になった」と表現。

こんなシーン に　How to use?

You made my day.
最高の日になったよ。

落とし物を拾ってもらった、励ましてもらったとき、ありがとうと一緒に伝えて。

＼動画で復習!／

覚えてCHECK! ☑

「どういたしまして」

It's my pleasure.

イッツ　マイ　プレジャー

フレーズ
解説

「私の喜びです」ということから、お礼を言われたときの返答「どういたしまして」に。

こんなシーン に　How to use?

It's my pleasure.
どういたしまして。
Thank you so much.
どうもありがとう。

お礼を言われたときに返す定番フレーズ。「You're welcome.」もよく使うよ。

＼動画で復習!／

覚えてCHECK! ☑

「手をたたいて」

Clap your hands.

クラップ　ユア　ハンズ

フレーズ解説

「clap」はたたくという意味。参拝の仕方で、手をたたいてと伝えたいときに使えるフレーズ。

こんなシーンに　How to use?

Clap your hands.
手をたたいてください。

「two」をつければ２回たたくと通じる。ほかに、拍手してという意味でも使う。

動画で復習!

覚えてCHECK! ☑

「簡単だよ」

It's a piece of cake.

イッツ　ア　ピース　オブ　ケイク

フレーズ解説

諸説あるけれど、「ひと切れのケーキなんてすぐに食べられる」が転じて「楽勝」「簡単」の意味に。

こんなシーンに　How to use?

Give me a hand.
手伝って。
It's a piece of cake.
簡単だよ。

頼まれごとをして「朝飯前だよ」「そんなの簡単」と答えたいときに。

動画で復習!

覚えてCHECK! ☑

「持ち帰りたいです」

Can I have a doggy bag ?

キャナイ　ハブ　ア　ドギー　バッグ

フレーズ
解説

レストランで食べきれず持ち帰りたいときに使うフレーズ。もともとは犬用のエサとして持ち帰っていたことから「doggy bag」と言うけれど、持ち帰り用の容器に入れてくれる。

こんなシーンに　How to use?

Can I have a doggy bag?
持ち帰りたいのですが。

頼みすぎて食べきれない、お腹がいっぱいになってしまったときに頼めば、袋などに詰めてくれる。

動画で復習!

覚えてCHECK!

「デザートは別腹」

I have room for dessert.

アイ ハブ ルーム フォー ディザートゥ

フレーズ解説

「room」には部屋以外にスペースという意味も。デザートのためのスペースがある＝別腹になる。

こんなシーンに　How to use?

I have room for dessert.
デザートは別腹だよね。

食事のあとに、ケーキやプリンなど甘いもの食べられると伝えるたいときに。

動画で復習!

覚えてCHECK!

「アイスクリームひとついかが?」

Do you want a scoop?

ドゥ ユー ウォントゥ ア スクープ

フレーズ解説

「scoop」はアイスクリーム屋にある丸いスプーンのこと。「a scoop」でアイスひとすくい。

こんなシーンに　How to use?

Do you want a scoop?
アイスクリームひとついかが?

「Can I have two scoops（アイス2つください）」と注文するときにも使える。

動画で復習!

覚えてCHECK! ☑

「髪を切ったよ」

I got a hair cut.

アイ　ガットゥ　ア　ヘア　カット

フレーズ
解説

「get」の過去形「got」は「～してもらった」という意味で、「髪を切ってもらった」になる。「I cut my hair」は、「自分で髪を切る」なので、美容室で切った場合は「got」を使おう。

こんなシーンに　How to use?

I got a hair cut.
髪を切ったよ。

美容室で髪を切ったことを知らせたいときに。変化に気づかない人に教えてあげてもいいね。

関連ワード

髪型に関する単語を覚えよう。

前髪	**bangs**
おだんご	**bun**
編みこみ	**braid**

動画で復習!

覚えてCHECK!

「ご自由にどうぞ」

Be my guest.

ビイ　マイ　ゲストゥ

フレーズ解説

直訳は私のお客さんになって。
おもてなしの意味を込めて使う。

こんなシーン に　How to use?

Be my guest.
好きなだけどうぞ。

遠慮せずに好きなだけ食べてほしいときに。おもてなしのフレーズ。

動画で復習!

覚えてCHECK!

「どれにしようかな」

Eeny,meeny,miney,mo.

イーニー　ミーニー　マイニー　モー

フレーズ解説

言葉には意味がなく、日本の「どれにしようかな」
と同じでひとつずつものをさしながら使う。

こんなシーン に　How to use?

どれかひとつに決められないときに。アメリカでは音遊びのひとつ。

動画で復習!

Index

Here you go.
どうぞ→P114

hide and seek
かくれんぼ→P74

High five!
ハイタッチ!→P130

Hold on!
つかまって!→P116

Hooray!
やったー!→P15

I

I can' wait!
楽しみ!→P132

I got a hair cut.
髪を切ったよ→P152

I have room for dessert.
デザートは別腹→P151

I like both.
どちらもおすすめ→P106

I'm full.
お腹いっぱい→P102

I'm in!
参加したい!→P34

I'm into～.
ハマってる→P126

I'm running late.
遅れています→P147

I'm off.
行ってきます→P42

I'm starving.
お腹ペコペコ→P102

IMY
会いたい→P46

I see.
なるほど→P26

itchy
かゆい→P57

It's a piece of cake.
簡単だよ→P149

It's humid.
じめじめする→P61

It's my pleasure.
どういたしまして→P148

It's slippery.
すべりやすいよ→P111

It's taken.
席を取っています→P98

I want seconds.
おかわり→P123

I was moved.
感動した→P127

I will show you around.
案内するよ→P142

I will take you.
連れて行くよ→P143

J

JK
冗談だよ→P47

jump rope
なわとび→P75

K

keep it down
静かにして→P93

Keep in touch!
またね!→P40

R

Right on!
それいいねー→P91

ring a bell
聞き覚えがある→P87

ripe
食べごろ→P69

rock-paper-scissors
じゃんけん→P73

S

Same as usual.
いつもの→P100

Same here!
私も!→P79

scaredy-cat
ビビり→P128

sleepover
お泊まり→P131

So far so good.
今のところ問題なし→P90

Sorry?
なんて言いました?→P24

so so
まあまあ→P33

Sounds good!
いいね!→P39

spinach
ほうれん草→P68

split the bill
割り勘で→P104

Stay home,stay healthy.
家にいよう、健康でいよう→P118

step by step
一歩ずつ→P91

suits you
似合ってる→P140

suntan
日焼け→P58

Sup!
やあ!→P14

Sweet dreams.
おやすみ→P42

sweet tooth
甘党→P67

T

Ta-da!
じゃーん!→P25

take a bath
お風呂に入る→P119

take a break
休憩しよう→P82

take a seat
座って→P113

Take care!
気をつけて!→P137

take it easy
落ち着いて→P92

Take off your shoes.
靴を脱いで→P146

Take this.
どうぞ→P114

Take your second left.
2つ目の角を左に曲がって→P145

Take your time.
ゆっくりして→P136

That's it.
以上です→P101

You got it?

番組スタッフ

プロデューサー	田口舞（日本テレビ）　島田麻美（日本テレビ） 内田いつき（太陽カンパニー）
演出	冨永倫子（日本テレビ）
制作協力	STAR PANDA LLP ホリプロ セブンスアヴェニュー ランブル・ビー Free Wave
製作著作	日本テレビ

BOOKスタッフ

編集協力	岩淵美樹
撮影	土屋哲朗
撮影協力	よみうりランド 横浜・八景島シーパラダイス
校正	ハーヴェスト 水科哲哉（アンフィニジャパン・プロジェクト） 保科京子
ブックデザイン	横山曜　小野安世（細山田デザイン事務所）
DTP	三協美術
出版プロデューサー	将口真明　飯田和弘（日本テレビ）

星星の
ベラベラ ENGLISH BOOK

2021年4月3日　第1刷発行

著者：星星

発行者：大山邦興
発行所：株式会社 飛鳥新社

〒101-0003
東京都千代田区一ツ橋2-4-3　光文恒産ビル
電話：03-3263-7770（営業）
　　　03-3263-7773（編集）
http://www.asukashinsha.co.jp

印刷・製本：中央精版印刷株式会社

ISBN 978-4-86410-831-7

編集担当：内田威